雪女の家
おけら山
ひりひり滝
おおかみ男の家
ぬるぬる池
かたかな橋
にこにこ
ぷんぷん
めそめそ
の花畑
ぞくぞく劇場
美術館
ぞくぞく小学校

ぞくぞく村の

がいこつ ガチャさん

末吉暁子・作　垂石眞子・絵

ぞくぞく村《むら》でいちばんの、夢見《ゆめみ》る男《おとこ》。ロマンチスト。
といえば、もちろん、がいこつガチャさんです。
トテトテトテ、ガチャガチャガチャ。
詩《し》を作《つく》りながら歩《ある》いているときは、どろ沼《ぬま》に足《あし》を
つっこもうが、火事場《かじば》を通《とお》りぬけようが、
まるっきり気《き》がつきません。

みんながねしずまっているまっ昼間《ぴるま》から、今日《きょう》もガチャさんは、マイペース。夢見《ゆめみ》ごこちで歩《ある》きます。

小雨《こさめ》のパラつく空《そら》の下《した》、ぬるぬる池《いけ》の上《うえ》を空中浮遊《くうちゅうふゆう》、ひそひそ川《がわ》のほとりまでやってきたときです。

一しゅん、パーッと日《ひ》がさして、滝《たき》のとちゅうからぐずぐず谷《だに》まで、あざやかな虹《にじ》の橋《はし》がかかりました。

ガチャさんは、なんのふしぎもなく、虹《にじ》の橋《はし》に足《あし》をかけ、トテトテトテと、わたりはじめました。

「うむむむ！　胸《むね》がふるえる、あばらがわらう。なんとなくすばらしい恋《こい》の予《よ》感《かん》！　できそう！　すてきな恋《こい》のうたが！」

たちまち、ガチャさんの目《め》の前《まえ》に、こんな情景《じょうけい》が広《ひろ》がりました。空《そら》いっぱいにまいちる、白《しろ》い花《はな》びら……。そのまん中《なか》に、はなやかにも美《うつく》しいだれかのすがた……。顔《かお》は見《み》えませんが、ガチャさんは、すいよせられるように、そのだれかを追《お》いもとめます。そばに、女《おんな》の人《ひと》が立《た》っているのですが、なぜか、その体《からだ》はがらんどう。向《む》こうの風景《ふうけい》がすけて見《み》えるのです。

「できた！」
さっそく、ガチャさんはポケットから手帳《てちょう》を出《だ》しました。

がらんどうの　女《おんな》のそばで
白《しろ》い花《はな》びらに　つつまれて
ぼくを待《ま》っているのは　まぼろしか
ぼくは追《お》うよ　どこまでも
ふぶきのような　花《はな》びらの中《なか》を……

そこまで書《か》きとめたとき、だしぬけに思《おも》いだしました。
「しまった！　へやのドアにかぎをかけてくるのをわすれた！」

とたんに、ガチャさんは、ズボッと虹《にじ》の橋《はし》をつきぬけて、ひそひそ川《がわ》へ、ドッボーン！

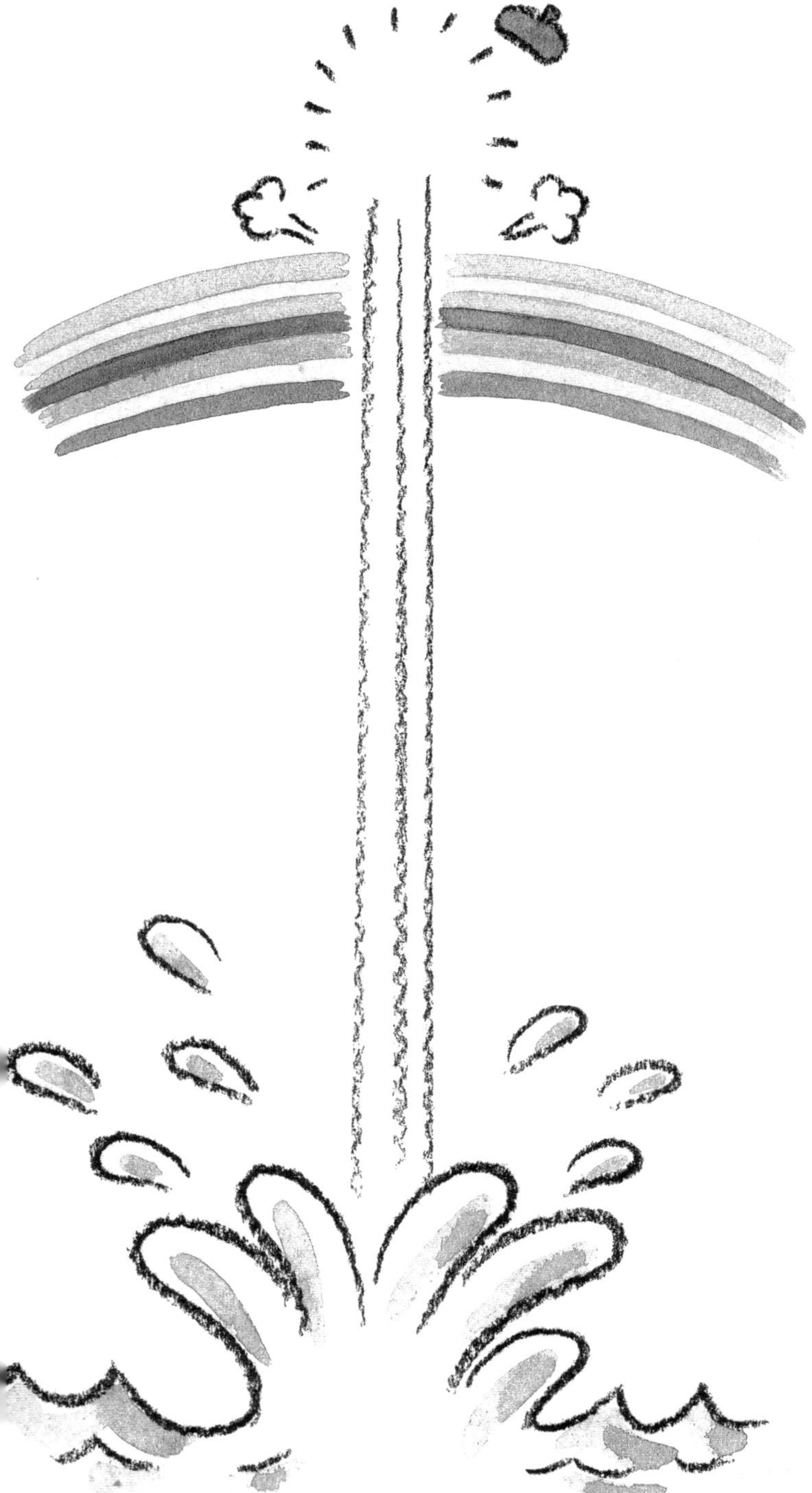

はいあがってきたときには、かたうでが折《お》れていました。

「ヒー！　詩作《しさく》と日常生活《にちじょうせいかつ》とを両立《りょうりつ》させるのは骨《ほね》が折《お》れる……」。

ともあれ、いそいで家《いえ》に帰《かえ》らないとたいへんです。

ガチャさんは、折《お》れたかたうでを持《も》ったまま、かけだしました。

「ビショビショが、ぼくのへやに入《はい》りこんで、あちこち、かぎまわっていなけりゃいいけどなあ。」

ビショビショというのは、地下《ちか》アパートの、となりのへやに住《す》んでいる女《おんな》ゾンビです。

いつもいつも、きたないぼろきれを身《み》にまとい、生《なま》ごみのにおいをプンプンさせているのです。

「あいつに、へやの中《なか》に入《はい》りこまれたら、たいへんだ！」

ガチャさんは、体《からだ》じゅうの骨《ほね》がバラバラになりそうないきおいで、走《はし》って帰《かえ》りました。

でも、現実《げんじつ》の世界《せかい》にいるときは、けっして空《そら》を飛《と》んだり、雲《くも》に乗《の》ってかけたりはできませんから、じれったいこと、じれったいこと。

にこにこ、ぷんぷん、
めそめその花畑《はなばたけ》を通《とお》りすぎ、
ようやく、墓石《はかいし》の下《した》の
地下《ちか》アパートに
たどりつきました。

ギクシャク、ギク、ドテドテドテ、と、かいだんをころがりおちて、やっとこさ、ドアの前《まえ》に立《た》ったガチャさんは、がっくり！

ドアは半分《はんぶん》開《ひら》いていて、中《なか》からは早《はや》くも、生《なま》ごみのにおいが、プーン！

となりのへやのドアからは、巨大《きょだい》ななめくじの通《とお》りすぎたようなあとが、ズルズルと、ガチャさんのへやの中《なか》までつづいています。

これぞ、ゾンビのビショビショの足《あし》あとなのです。

「おそかったか！」

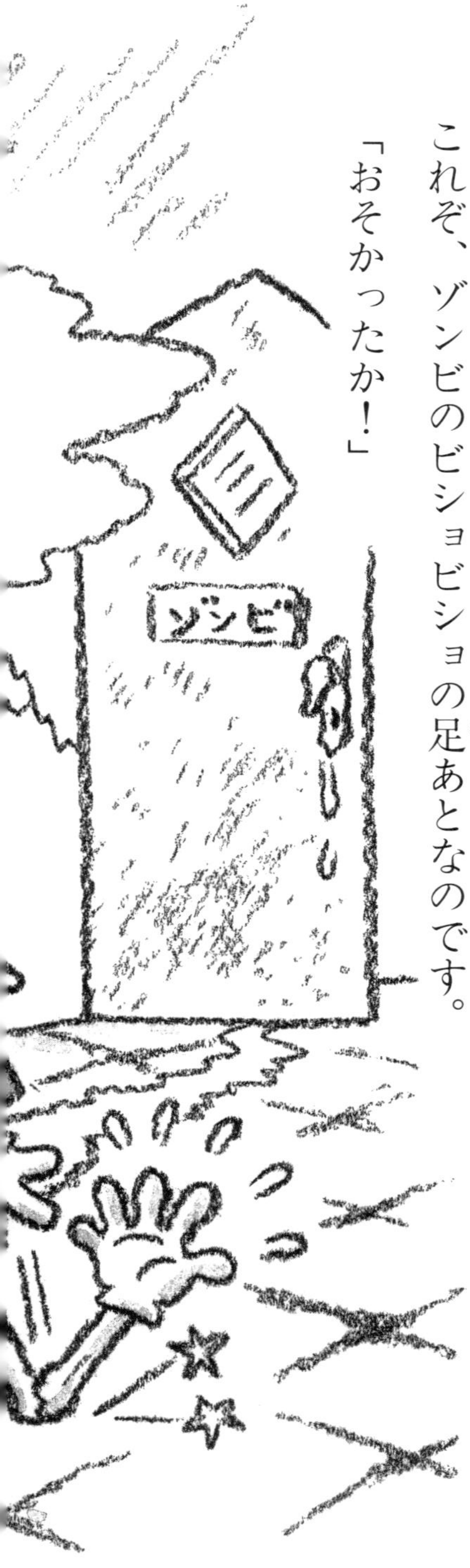

ガチャ

カルシウム

へやの中《なか》にも、ビショビショの足《あし》あとはズルズルつづいて、まず、台所《だいどころ》の冷蔵庫《れいぞうこ》の前《まえ》に……。それからおふろ場《ば》。そして、ついに寝室《しんしつ》に……。

ガチャさんのあばら骨《ぼね》は、不吉《ふきつ》な予感《よかん》に、アコーディオンみたいにちぢみあがりました。

「まさか……まさか……まさか……。」

いのるような気持《きも》ちで、寝室《しんしつ》のドアを開《あ》けると……。

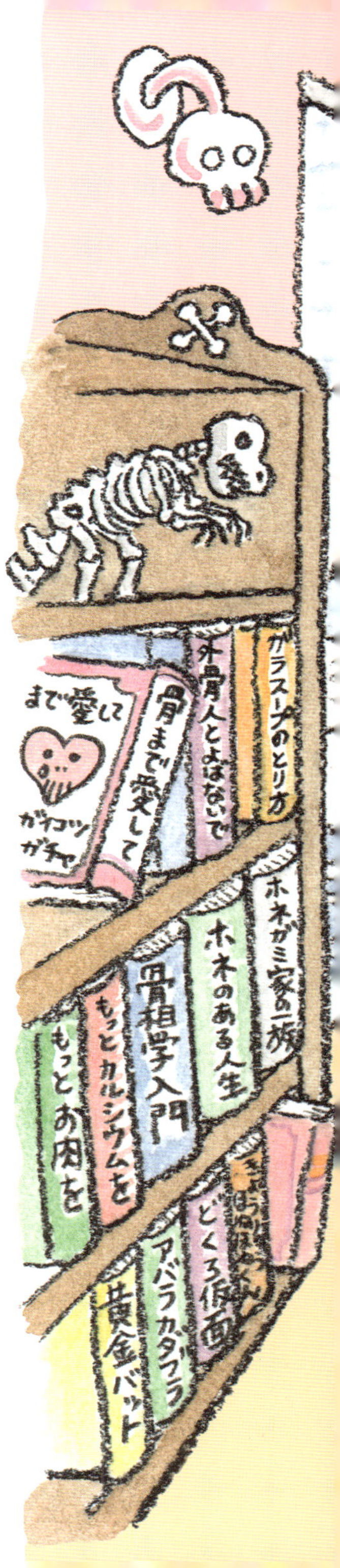

日記帳

「やっぱり！」

レースのベッドカバーの上《うえ》に

あぐらをかいて、むちゅうでガチャさんの日記《にっき》を読《よ》んでいるのは、

まさしく、ゾンビのビショビショだったのです。

だいじなだいじな日記帳《にっきちょう》……。人《ひと》には言《い》えないはずかしいことや

ひみつのできごとを、こっそり書《か》いた日記帳《にっきちょう》……。

ガチャさんは、かけよると、日記帳《にっきちょう》をひったくりました。

けれども、すでに日記帳《にっきちょう》は、ビショビショにさわりまくられて、

びっちゃびちゃのべっとべと。

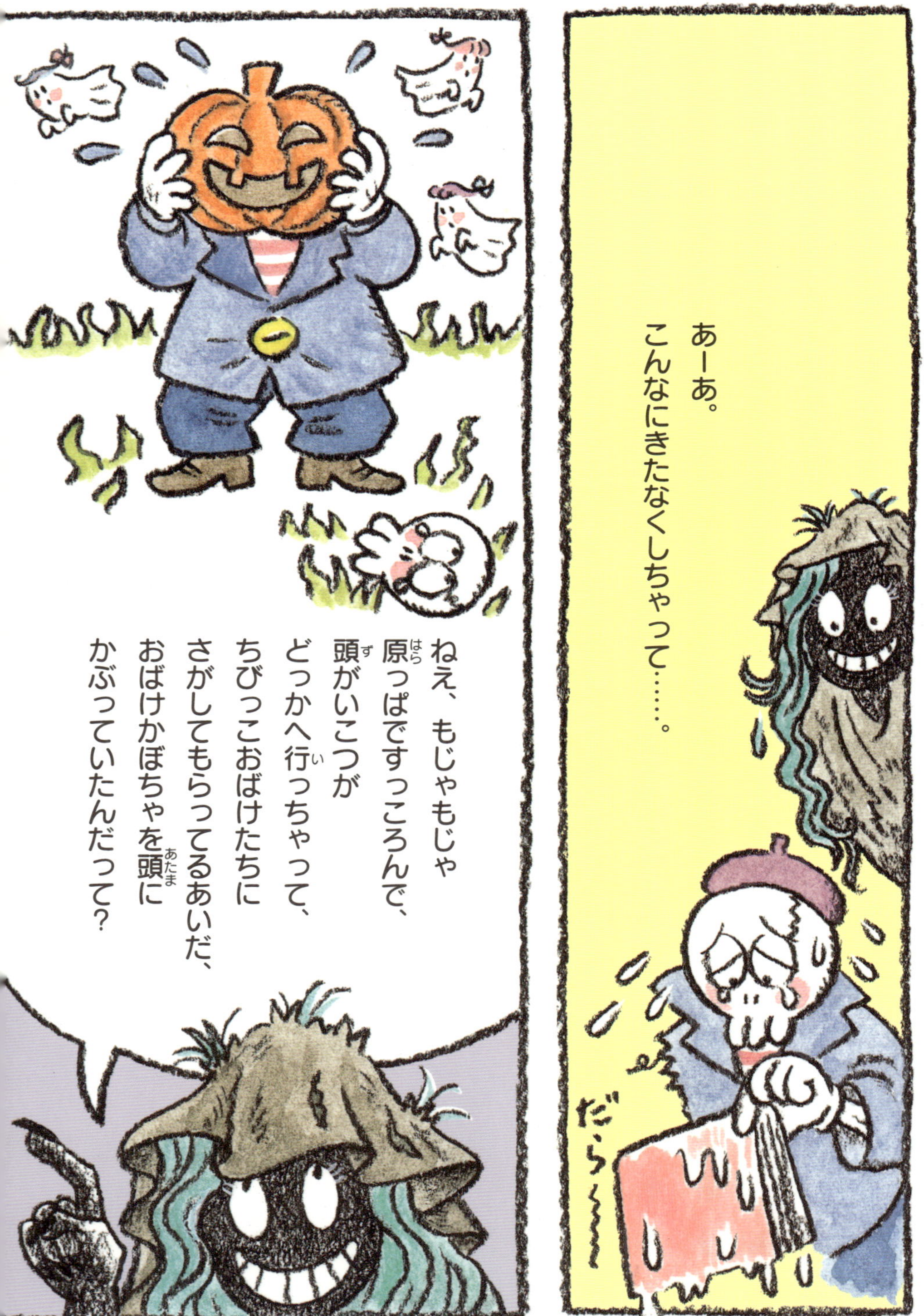
あーあ。
こんなにきたなくしちゃって……。
だら〜〜〜
ねえ、もじゃもじゃ
原《はら》っぱですっころんで、
頭《ず》がいこつが
どっかへ行《い》っちゃって、
ちびっこおばけたちに
さがしてもらってるあいだ、
おばけかぼちゃを頭《あたま》に
かぶっていたんだって？

ズッキーン!
そういえば、そんなことを
書《か》いたおぼえがある……。
ギク
魔女《まじょ》のオバタンの
ところに、
ぎっくり腰《ごし》を
なおして
もらいに
いったんだって?

ゲッ！
それも読《よ》まれて
しまったのか。
オバタンと四ひきの使《つか》い魔《ま》が、
思《おも》いきり腰《こし》の骨《ほね》を
ひっぱったら、
背骨《せぼね》がのびて、前《まえ》より
もっと、胴長《どうなが》に
なっちゃったん
だって？
ズッキーン!!

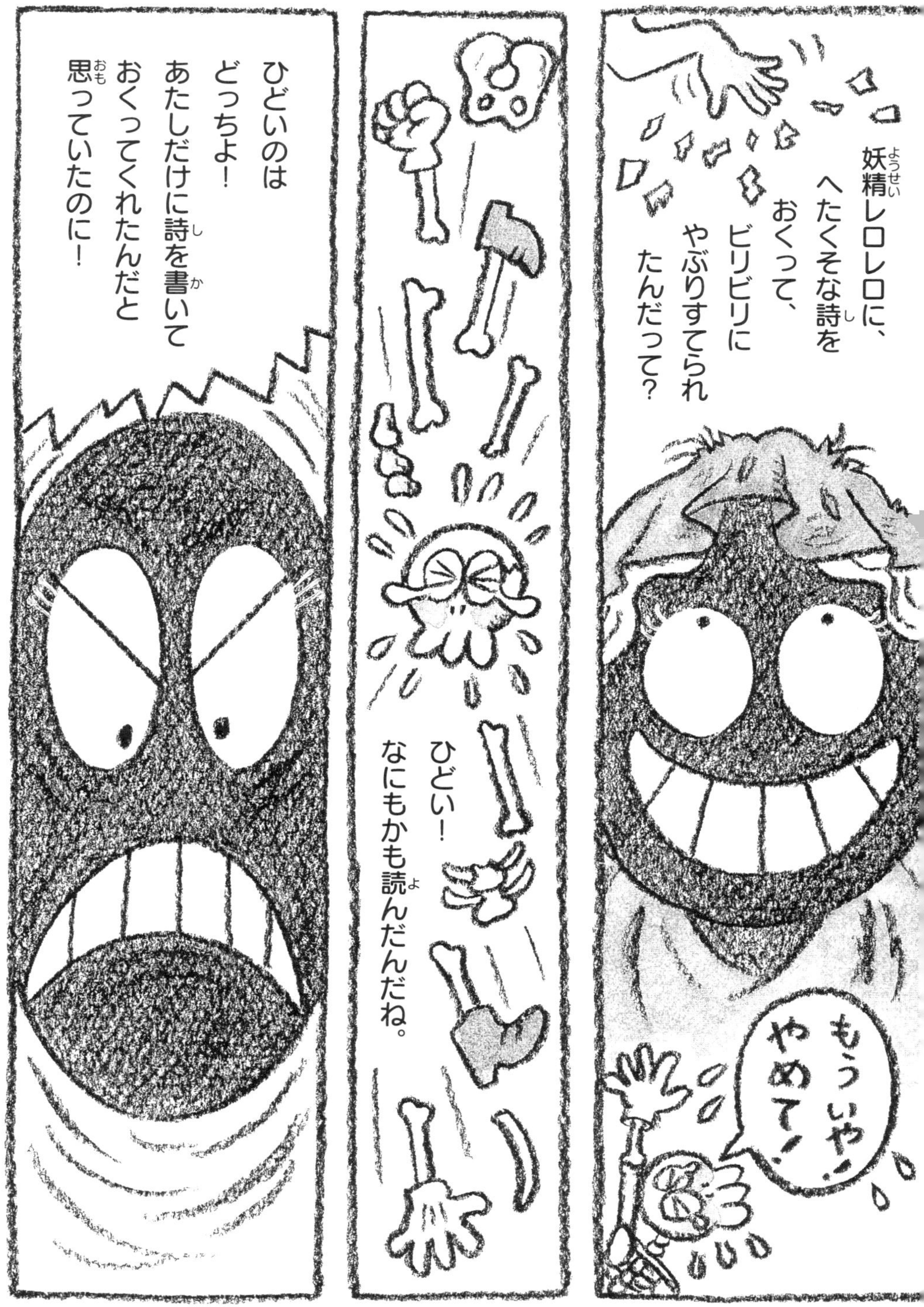
妖精《ようせい》レロレロに、
へたくそな詩《し》を
おくって、
ビリビリに
やぶりすてられ
たんだって？
もう いや！
やめて！
ひどい！
なにもかも読《よ》んだんだね。
ひどいのは
どっちよ！
あたしだけに詩《し》を書《か》いて
おくってくれたんだと
思《おも》っていたのに！

ビショビショは、いきなり、ガチャさんにつかみかかってきました。生《なま》ごみのにおいが、ツーン！

「やめてくれえ！」

ええ、そりゃ、一度《ど》だけ、ビショビショに自作《じさく》の詩《し》をおくったことがあります。それも、こんなの。

ビショビショ……
きみが　通《とお》りすぎたあとは
空気《くうき》がちがう

風景《ふうけい》がちがう
においがちがう
ああ、ぼくにはわかる
きみが　ここを通《とお》りすぎたのが
たとえ十《とお》日《か》前《まえ》だって……
きみが　手《て》にふれるものはすべて
色《いろ》が変《か》わる
形《かたち》が変《か》わる
くずれていく
ああ、たまらない
なんとかしてくれ

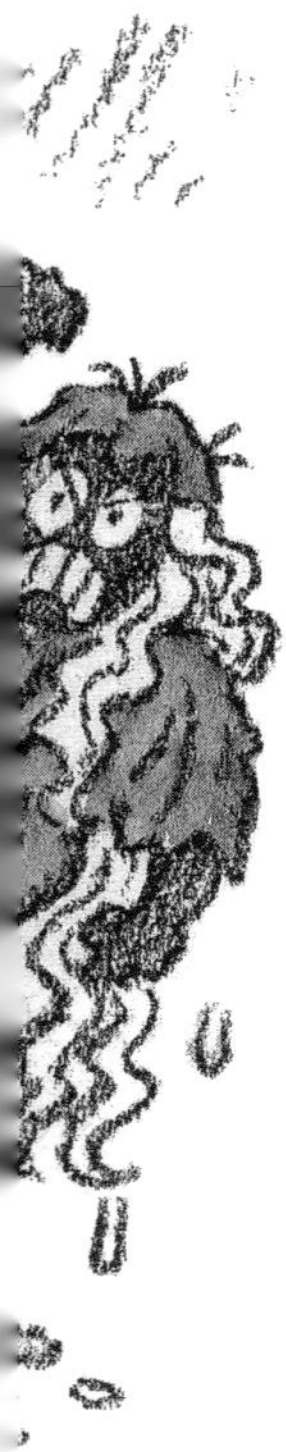

それを読《よ》んだビショビショは、なにをかんちがいしたのか、すぐにアパートのとなりのへやに引《ひ》っこしてきて、ガチャさんのことに、なんでもかんでも、首《くび》をつっこむようになったのです。

「ぼくのへやに、かってに入《はい》るのは、やめてくれ！　入《はい》るときは、せめて、ふろに入《はい》ってからにしてくれ！」

ガチャさんは、ひっしの思《おも》いで、それだけさけぶと、うでの骨《ほね》と日記帳《にっきちょう》をかかえて、飛《と》びだしました。

うしろから、ビショビショの声《こえ》が追《お》いかけます。

「おぼえてらっしゃい！　いざというとき、足《あし》をひっぱってやるから！」

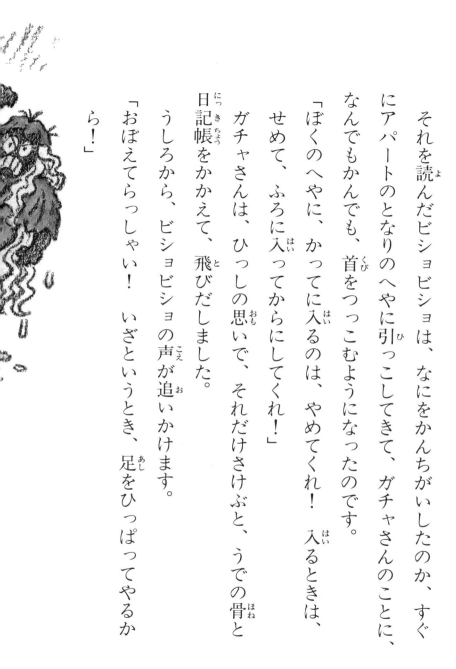

ロマンチックな気分《きぶん》は、完全《かんぜん》にふっとびました。

「やれやれ。どっかでこの骨《ほね》をくっつけてもらわなくちゃ。」

近《ちか》くには、ちくちく歯科医院《しかいいん》があります。

「骨《ほね》も歯《は》も、おんなじなかまだ。歯医者《はいしゃ》なら、くっつけてくれるだろう。」

ガチャさんは、歯医者《はいしゃ》のあるちくちく森《もり》の方《ほう》に歩《ある》きだしました。

ちょうど歯医者《はいしゃ》の前《まえ》についたとき、ぐずぐず谷《だに》の向《む》こうから、大《おお》きな満月《まんげつ》が、ぬわっと顔《かお》を出《だ》しました。

「だめだ！　今夜《こんや》は満月《まんげつ》だ。」

なぜって、この歯医者《はいしゃ》さんは、満月《まんげつ》の晩《ばん》になると、おおかみ男《おとこ》に変身《へんしん》するのです。ときどきは、ぶた男《おとこ》に変身《へんしん》する、といううわさも

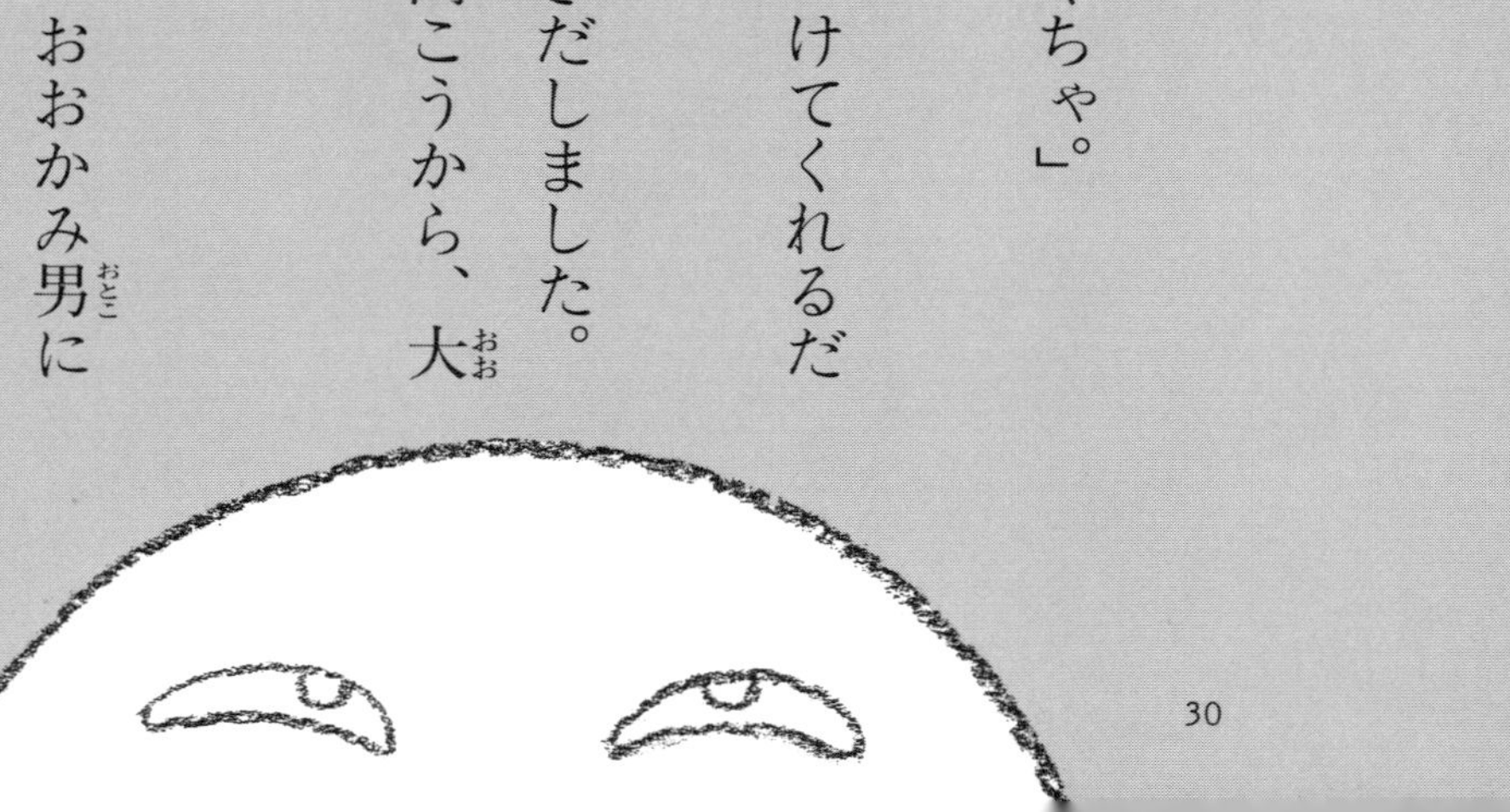

あります。

「どっちにしても、ぶじに、もとの体《からだ》にはもどれないような気《き》がする……。」

ガチャさんは、くるりとまわれ右《みぎ》。

こんどは、ぐずぐず谷《だに》をめざしました。

そこには、魔女《まじょ》のオバタンが住《す》んでいます。

「しかたがないから、また、魔女《まじょ》のオバタンになおしてもらおう。」

ガチャさんは、ひそひそ川《がわ》にかかった橋《はし》を、カタカタカタとわたっていきました。

向《む》こう岸《ぎし》を、ミイラのラムさんとおくさんが、おそろいのほうたいすがたで、ジョギングしています。

「こんばんは、ガチャさん!」

ふたりは、ガチャさんに手《て》をふって、走《はし》りぬけていきました。

「なかよきことは、美《うつく》しきかな……。ガチャコージ・ホネアツ」。

ガチャさんも、折《お》れた手《て》をふりながら、つぶやきました。

魔女《まじょ》のオバタンの家《いえ》についてみると、うら庭《にわ》の方《ほう》からにぎやかな声《こえ》がします。

「こんどは、あたしの番《ばん》だよ。」

「きゃっきゃっきゃっ！」

「へっへっへ！」

「ほっほっほう！」

「いっひっひ！」

どうやら、オバタンは、四ひきの使《つか》い魔《ま》たちと、楽《たの》しく遊《あそ》んでいるようです。

ガチャさんが、おずおずと、うら庭《にわ》の方《ほう》にまわってみると、

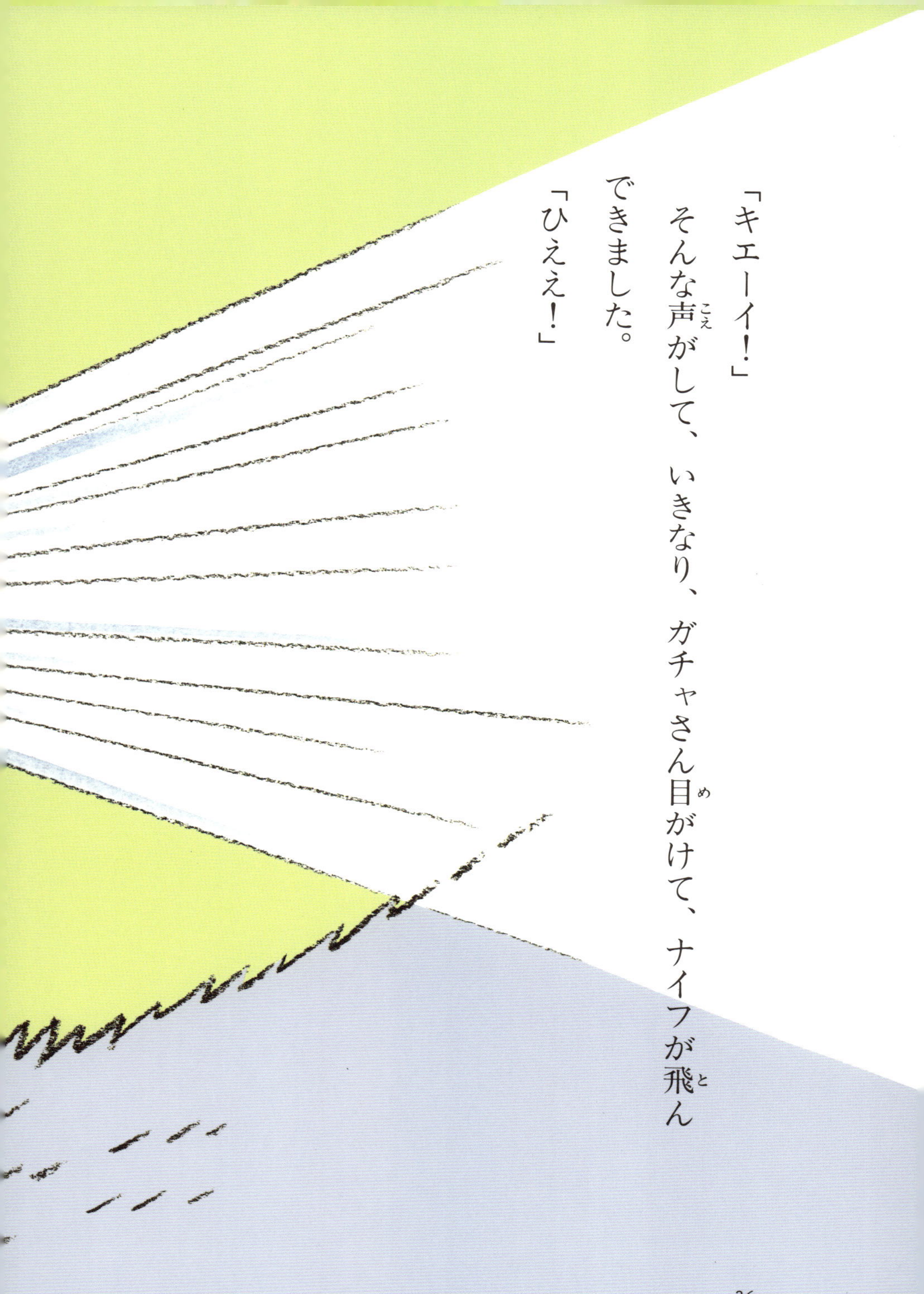

「キエーイ！」

そんな声《こえ》がして、いきなり、ガチャさん目《め》がけて、ナイフが飛《と》んできました。

「ひええ！」

間一髪《かんいっぱつ》、ナイフは、ガチャさんの頭《あたま》の骨《ほね》をかすめて、うしろの木《き》のみきに、ドスッとつきささりました。

見《み》れば、その木《き》には、大《おお》きなわら人形《にんぎょう》がはりつけになっていて、すでに何本《なんぼん》ものナイフが、あっちこっちにつきささっているのです。

たった今《いま》、心臓《しんぞう》につきささったばかりのナイフは、まだかすかにゆれています。

「やんや、やんや！」

「さーすが、オバタン！」

「みごとに心臓《しんぞう》に命中《めいちゅう》したよ。」

「これであいつも、コロッといくよ。」

四ひきの使《つか》い魔《ま》たちは、はくしゅかっさい。

「あ、あのう……おとりこみのところ、もうしわけないのですが……」。

ガチャさんが、おそるおそる声《こえ》をかけると、やっと魔女《まじょ》のオバタンも気《き》がついてくれました。

「おんや、がいこつガチャさん。また、ぎっくり腰《ごし》かい？ もっと胴長《どうなが》になっても知《し》らないよ。」

「い、いえいえ、そうじゃないんです。こんどは、このうでの骨《ほね》が折《お》れたんで、くっつけてもらいたいの。」

ガチャさんが、折《お》れたうでの骨《ほね》を見《み》せると、

「なんだい。そんなことかい。かんたんすぎて、ひょうしぬけするじゃないか。」

オバタンは、すぐに、使《つか》い魔《ま》たちに言《い》いつけました。

「台所《だいどころ》から、ごはんつぶを持《も》っといで。あ、四つぶでいいよ。」

「はい！」

「ほい！」

「へい！」

「ふぇい！」

四ひきの使《つか》い魔《ま》たちは、

台所《だいどころ》にすっとんでいきました。

「ごはんつぶ、ごはんつぶ。」

「ごはんは、おかまにいっぱい、たきあがってるはずだよ。」

ねこのアカトラが、ふたを開《あ》けてみると、おかまの中《なか》はみごとにからっぽ。底《そこ》の方《ほう》に、ごはんつぶがいくつか、はりついているだけです。

「オバタン……、もう全部《ぜんぶ》食《た》べちゃったんだ……。」

「そういえば、さっき、大《おお》きなおにぎりをほおばってたよ。」

と、とかげのペロリ。

カラッポ

アカトラは、とりあえず、ごはんつぶをひとつぶ、指《ゆび》の先《さき》にくっつけてとりました。

ひきがえるのイボイボも、舌《した》の先《さき》にひとつぶ、くっつけてとりました。

とかげのペロリも、しっぽの先《さき》にひとつぶ、くっつけてとりました。

こうもりのバッサリも、つばさの先《さき》でひとつぶ、とろうとしたのですが、

「わあん！　もう、ひとつぶもない！」

バッサリが、あせって台所《だいどころ》じゅう見《み》まわすと、

ありました、ありました。
おさらの上《うえ》に、オバタンが食《た》べのこしたらしいごはんつぶが……。
赤《あか》くそまっているのは、おにぎりの中《なか》のうめぼしのそばにあったせいでしょう。
バッサリは、よろこんで、つばさの先《さき》っぽにくっつけてとりました。

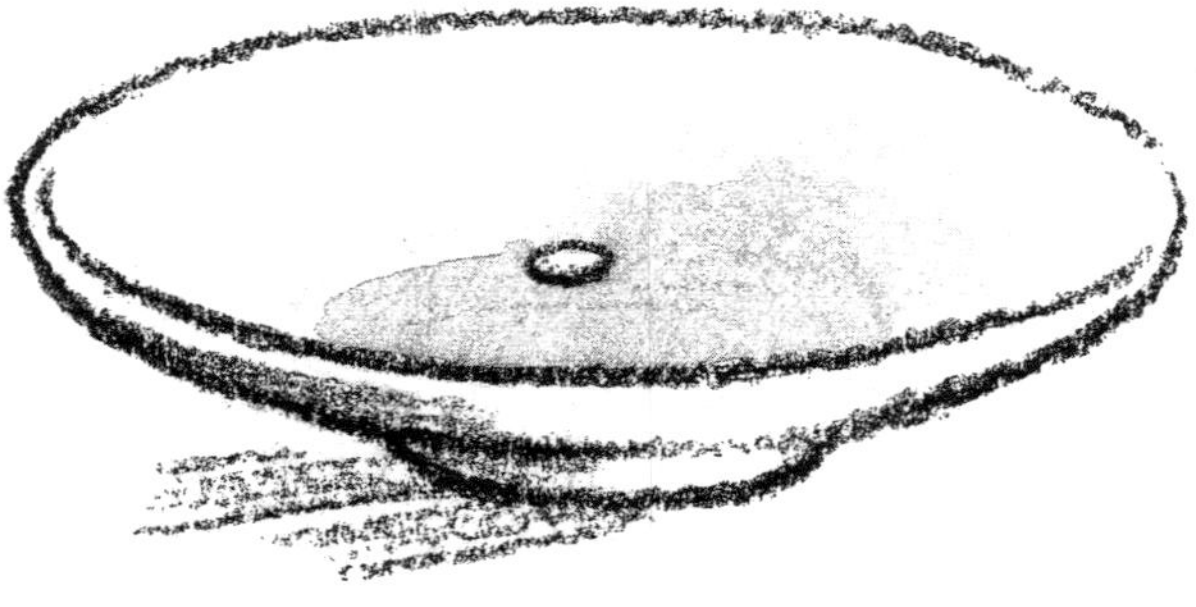

「お待《ま》ちどおさま！」

四ひきが、ごはんつぶを持《も》っていくと、

「はい、ごくろうさん。」

オバタンは、ガチャさんの骨《ほね》の折《お》れたところに、ごはんつぶをくっつけて、ぴたっとはりあわせ、

「はい、おしまい。さいなら。」

と、手《て》をふりました。

「えー？　たったこれだけ？
なんだか不安《ふあん》だなあ。もうちょっと
なんか、おまじないでもかけてほしいな。」
ガチャさんにねばられて、オバタンは、
「じゃあ、シャーない。」
と、じゅもんをとなえ
はじめました。

ブックサ　ブックサ
グチグチ　ネチネチ
イジイジ　グズグズ
ガーガー　ギャーギャー
ブーブー　ブータラ
ガミガミ　ドカン！

ガチャさんのうでの骨《ほね》も、ぴったし、もとどおり。

「いやあ、ありがとう、魔女《まじょ》のオバタン。前《まえ》よりずっと、ちょうしよくなったみたい。うでが鳴《な》る、鳴《な》る、ポキポキと。」

ガチャさんは、うでをふりふり、歩《ある》きだしました。

「ごはんつぶでくっつけただけじゃ、こううまくはくっつかない。やっぱり、オバタンが、じゅもんをとなえてくれたせいだ。さーすが、魔女《まじょ》のオバタンだなあ。」

ルンルン気分《きぶん》で歩《ある》くうち、ガチャさんは、「ん？」

くっつけてもらったうでのあたりが、ウズウズうずき、そのうずきが、あばら骨《ぼね》やら腰骨《こしぼね》やらにつたわって、なにか、こう、やたらうれしいような、せつないような、人恋《ひとこい》しいような気分《きぶん》です。

かたかた橋《ばし》をわたりおえると、ガチャさんは、ふいっと、どっきり広場《ひろば》の方《ほう》に、まがりました。気《き》のせいか、うでの骨《ほね》にぐいぐいとひっぱられていくようです。

ブティック「びっくり箱《ばこ》」のかんばんが見《み》えてきました。

どこからか、「パー！」という、かん高《だか》い鳴《な》き声《ごえ》が聞《き》こえてきました。

つづいて、バサバサバサと羽音《はおと》がして、大《おお》きな白《しろ》い鳥《とり》が空中高《くうちゅうたか》くまいあがり、「びっくり箱《ばこ》」のかんばんの上《うえ》に止《と》まりました。

かんばんには、女《おんな》の人《ひと》の全身像《ぜんしんぞう》がくりぬいてあります。

鳥《とり》が、両《りょう》のつばさを大《おお》きく広《ひろ》げると、まるで、白《しろ》い花《はな》びらをつなぎあわせたショールのようでした。

ブティック
びっくり箱

それを見《み》たとたん、ガチャさんの頭《あたま》のてっぺんから、足《あし》のつま先《さき》まで、ブルルッとふるえが走《はし》りました。

「これだったのか！」

いそいでポケットから手帳《てちょう》を出《だ》すと、虹《にじ》の上《うえ》で書《か》きとめた詩《し》を読《よ》みなおしました。

がらんどうの　女《おんな》のそばで
白《しろ》い花《はな》びらに　つつまれて
ぼくを待《ま》っているのは　まぼろしか

ガチャさんのあばら骨《ぼね》は、ピキピキと高鳴《たかな》りました。

たちまち、ガチャさんはフワフワフワと空中《くうちゅう》にまいあがり、すいよせられるように、白《しろ》い鳥《とり》に近《ちか》づいていきました。

「美《うつ》しい白《しろ》い鳥《とり》よ……。きみにこの詩《し》をささげます。」

手《て》帳《ちょう》のページをひきさいてさしだすと、鳥《とり》は、きょとん！

「パー！」

ひと声《こえ》鳴《な》いてから、バタバタと、また、そばの木《き》に飛《と》びうつりました。

「待《ま》っておくれ！」
ガチャさんも、フワフワフワと飛《と》びうつり、鳥《とり》のしっぽの先《さき》をつかんだと思《おも》ったら、またもや、ふぶきのように羽《はね》をまいちらして、鳥《とり》はにげていきました。

ぼくは追《お》うよ　どこまでも
ふぶきのような　花《はな》びらの中《なか》を……

「パー！　パー！」
地面《じめん》におりた鳥《とり》は、どっきり広場《ひろば》の中《なか》を、ドッドッドッドッとかけだしました。

「待《ま》って！　待《ま》っておくれ！」

ガチャさんと白《しろ》い鳥《とり》は、どっきり広場《ひろば》の中《なか》を、ぐるぐると追《お》いかけっこ。

ブティック「びっくり箱《ばこ》」のとびらが開《あ》いて、主人《しゅじん》のとうめい人《にん》間《げん》サムガリーが、顔《かお》を出《だ》しました。

「いったい、どうしたんだろ、ホヤホヤは。

さっきから、パー！　パー！　と、
やけにさわがしいね。」

そうです。この鳥《とり》こそ、サムガリーをパパだと思《おも》いこんで、遠《とお》い異次元世界《いじげんせかい》から、ぞくぞく村《むら》までついてきてしまった、怪鳥《かいちょう》トリドリのひなだったのです。

サムガリーのおくさんのナオミさんは、ホヤホヤと名《な》づけてかわいがっていました。

サムガリーの声《こえ》を聞《き》いたとたん、ホヤホヤはくるりとU《ユー》ターン。すぐうしろを追《お》いかけていたガチャさんの頭《あたま》をふんづけて、サムガリーのもとへまっしぐら。

ふまれても、けられても、ガチャさんは追《お》いかけます。

「待《ま》って……。」

やっとこさ、ブティックの前《まえ》で追《お》いつくと、

「ぼくがさがしもとめていたのは、きみだ。きみにこの詩《し》をささげたい……。」

フワンとまいあがり、ホヤホヤの目《め》の前《まえ》に、詩《し》を書《か》いたページをさしだしたときでした。

ボコッ！

とつぜん、足《あし》もとの地面《じめん》から、ぼろぼろの布《ぬの》きれをまとった黒《くろ》い手《て》が、ニューッとのびてきたかと思《おも》うと、ガチャさんの足首《あしくび》を、ぐいとつかんでひっぱりました。

ボコッ

「わあっ！　ビショビショか。足《あし》、ひっぱるな！」

さけび声《ごえ》をのこして、ガチャさんは、ズブズブズブと地中《ちちゅう》にひきずりこまれていきました。

最後《さいご》にのこった指先《ゆびさき》から、詩《し》を書《か》いた手帳《てちょう》のページが一まい、ピランと地面《じめん》に落《お》ちました。

それをひろって読《よ》んだサムガリーは、ひと言《こと》、

「なんじゃ、こりゃ。」

とつぶやいて、指《ゆび》ではじきとばしてすてました。

「パー！」

ホヤホヤは、その紙切《かみき》れをふみつけて、サムガリーにかけよっていきました。

そのころ、ぐずぐず谷《だに》では、魔女《まじょ》のオバタンが、

「ない！　ない！　ない！　ひとつぶで三百《さんびゃく》メートルのイケイケの実《み》がない！」

と、さわいでいました。

こうもりのバッサリは、ごくりとつばをのみこんで、

「ひとつぶで三百《さんびゃく》メートルのイケイケの実《み》って、もしかして、赤《あか》いごはんつぶみたいな形《かたち》？」

「そう。あんたたち、知《し》らないかい？」

オバタンに聞《き》かれて、四ひきは、シーン！

オバタンと目《め》を合《あ》わせないようにして、宇宙《うちゅう》のはるかかなたを見《み》つめていました。

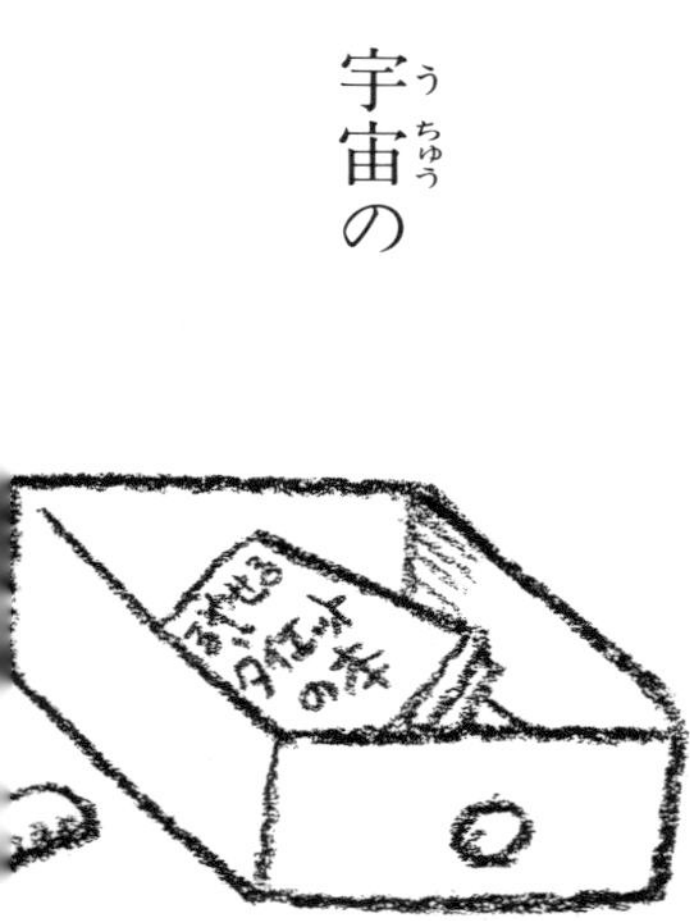

そのようすを見《み》て、オバタンは、

「やっぱり、さっきの赤《あか》いごはんつぶがそうだったんだね。うめぼしの色《いろ》にそまったのだとばかり思《おも》いこんだあたしが、うかつだった……ククク。」

と、くちびるをかみました。

「あれは、ひとつぶ、身《み》につけると、三百《さんびゃく》メートル行《い》ったところでうずきだし、最初《さいしょ》に出会《であ》ったものに、ひとめぼれしてしまうんだよ。」

「えーっ!?」

四ひきは、どんなおこごとがふってくるかと、かたまってふるえていました。

ところが、オバタンは、あんがい、
サバサバと言《い》いました。
「でも、まあ、ガチャさんなら、いいか。
しょっちゅう、そんなことばっかり
してるから。」
四ひきは、ホーッ！

ぞくぞく村《むら》では、次《つぎ》の日《ひ》も、
そうぞうしい追《お》いかけっ
こが、くりひろげら
れました。

注文《ちゅうもん》の品《しな》を届《とど》けにいく
サムガリーを、「パー！　パー！」
と鳴《な》きながら、ホヤホヤが
追《お》いかけ、ホヤホヤを
ガチャさんが追《お》いかけます。
　そのガチャさんのかた足《あし》を、
地中《ちちゅう》からのびた黒《くろ》い手《て》が、
しっかりつかんではなしません。
　金切《かなき》り声《ごえ》をあげながら、その
あとを追《お》うのは、サムガリーの
おくさんのナオミさんです。

ぞくぞくディスコ
Book
びっくり箱

上空《じょうくう》を大《おお》なべに乗《の》って飛《と》びながら、魔女《まじょ》のオバタンはつぶやきます。

「あの実《み》のききめも一週《しゅう》間《かん》だから、ほっときゃいいさ。」

☼空《あ》きべやあります。（地下《ちか》アパート『コーポぞくぞく』管理人《かんりにん》）

ぞくぞく村《むら》だより⑨号《ごう》

ガチャさん監修《かんしゅう》
がいこつ男《おとこ》特集《とくしゅう》

◆発行所《はっこうじょ》◆
ぞくぞく村《むら》広報室《こうほうしつ》

がいこつガチャさんは、今《いま》までいろいろなアルバイトをしました。でも、どうもイマイチうまくいかなくて……。

ガチャさんのアルバイト

理科室《りかしつ》の骨格標本《こっかくひょうほん》

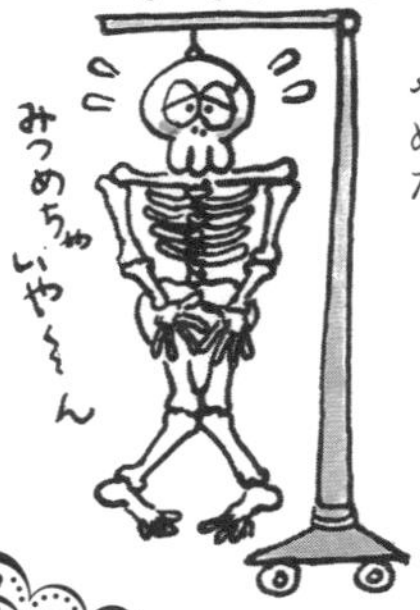

はだかでいるのがはずかしくて、やめた。

ファッションモデル

けっこうウケたが、自分《じぶん》の着《き》たいロマンチックな服《ふく》が着《き》られないので、やめた。

おばけやしきのおばけ

自分《じぶん》がこわくなって気《き》をうしなった。

うらない師《し》

骨《ほね》うらないをしたが、魔女《まじょ》のオバタンから、商売《しょうばい》のじゃまだと言《い》われ、やめた。

（詩《し》はなかなか売《う》れないので、いいアルバイト、紹介《しょうかい》して！）

★おしらせ

トリドリのひな、名前決定《なまえけってい》！

みなさん、トリドリのひなの名前《なまえ》、いっしょうけんめい考《かんが》えてくださってありがとう。パーコ、ピーちゃん、カラパー、コリドリ、ピピなど、すてきな名前《なまえ》がたくさん集《あつ》まってきました。サムガリーのおくさんのナオミさんと相談《そうだん》したけっか、「ホヤホヤ」と決定《けってい》しました。

◇うちみによく効《き》くぬり薬《ぐすり》「骨身《ほねみ》にシミール」新発売《しんはつばい》！

ガチャさんの
プリクラ

（お気《き》に入《い》りのフレームは、どれかな？）

パーティーに★ご招待《しょうたい》★

ゴブリンさんちの七つ子《ご》が、もうすぐ満《まん》一歳《さい》のおたんじょう日《び》をむかえます。

あまりごちそうは出《で》ないけど、プレゼントは、おおいに受《う》けつけます。よかったら、たんじょうパーティーにきてね。

ガチャさんに インタビュー！

Q. カラオケで好《す》きな歌《うた》は、なんですか？

A. もちろん「骨《ほね》まで愛《あい》して」

Q. 次《つぎ》の詩集《ししゅう》のタイトルは？

A. 「骨《ほね》までしゃぶらないで」

Q. こんど生《う》まれかわるとしたら、どんなタイプがいいですか？

A. 小錦《こにしき》みたいなタイプ。

Q. 特技《とくぎ》はなんですか？

A. フワーッと空中浮遊《くうちゅうふゆう》。

Q. デートの場所《ばしょ》は、どこがいいですか？

A. 虹《にじ》の橋《はし》の上《うえ》。

★おたよりください◆あてさき◆〒一〇一　東京都千代田区西神田三―二―一　あかね書房「ぞくぞく村」係

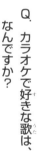

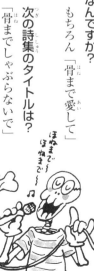

作者　**末吉暁子**（すえよし　あきこ）
神奈川県生まれ。児童図書の編集者を経て、創作活動に入る。『星に帰った少女』(偕成社)で日本児童文学者協会新人賞、日本児童文芸家協会新人賞受賞。『ママの黄色い子象』(講談社)で野間児童文芸賞、『雨ふり花さいた』(偕成社)で小学館児童出版文化賞、『赤い髪のミウ』(講談社)で産経児童出版文化賞フジテレビ賞受賞。長編ファンタジーに『波のそこにも』(偕成社)が、シリーズ作品に「きょうりゅうほねほねくん」「くいしんぼうチップ」(共にあかね書房)など多数がある。垂石さんとの絵本に『とうさんねこのたんじょうび』(BL出版)がある。2016年没。

画家　**垂石眞子**（たるいし　まこ）
神奈川県生まれ。多摩美術大学卒業。絵本に『ライオンとぼく』（偕成社）、『おかあさんのおべんとう』（童心社）、『もりのふゆじたく』『きのみのケーキ』『あたたかいおくりもの』『あいうえおおきなだいふくだ』『あついあつい』（以上福音館書店）、『メガネをかけたら』（小学館）、『わすれたって、いいんだよ』（光村教育図書）、『けんぽうのえほん　あなたこそたからもの』（大月書店）などがある。挿絵の作品に『かわいいこねこをもらってください』（ポプラ社）など多数。
日本児童出版美術家連盟会員。
垂石眞子ホームページ
http://www.taruishi-mako.com/

ぞくぞく村のおばけシリーズ⑨　**ぞくぞく村のがいこつガチャさん**

発　行＊1997年7月初版発行　2021年5月第36刷　NDC913　79P　22cm
作　者＊**末吉暁子**　画　家＊**垂石眞子**
発行者＊岡本光晴
発行所＊**あかね書房**　〒101-0065　東京都千代田区西神田3-2-1／TEL 03-3263-0641㈹
印刷所＊錦明印刷㈱　写植所＊千代田写植　製本所＊㈱難波製本

ISBN978-4-251-03679-7

ぞく村
雨ぼうずの家
おしゃれおばけの家
びよびよ丘
オバタンの家
もじゃもじゃ原っぱ
ブろブろの木
ミイラのラムさん
ゴブリンの家
とんとん橋
おばけかぼちゃ畑
吸血鬼の家
ぱかぱか森
ひさひさー